你是否曾拿過零用錢、壓歲錢或紅包等，自己可以自由運用的金錢？你覺得自己妥善運用這些金錢了嗎？

金錢是每個人在生活中不可或缺的「工具」。就像剪刀之類的工具，雖然使用起來相當方便，但如果使用不當，很可能會受傷或為自己惹來麻煩。同樣的道理，也能套用在金錢上。

為了成為使用金錢的高手，請立刻翻開這本書，來一趟訓練之旅吧！對於金錢的運用方式，你將會有許多新的發現與收穫。

在這一冊中，你會在「實體支付」的世界裡進行冒險。現在，就即刻出發吧！

—— 安算悅子
日本文部科學省消費者教育指導員

實體支付挑戰篇

著 學研PLUS　監修 安算悦子 日本文部科學省消費者教育指導員
譯 李彥樺　審定 魏郁禎 國立臺北教育大學教育經營與管理學系教授

你這孩子！

怎麼又跟朋友借錢了？
媽媽不是說過
不能跟朋友有金錢往來嗎？
我只是
借了60元……

這不是金額大小的問題！
砰！
害媽媽得向對方家長道歉！
10
50
不過才60元，
幹嘛這樣小題大作！
看來你得學一學
正確的金錢使用觀念。
閃閃發光
咦，是誰在講話？
我是專門教導孩子們
正確金錢使用觀念的女神……
什麼正確的
金錢使用觀念？
大家都叫我
「金錢女神瑪妮娜」！

喔？
金錢的知識，學校都會教啊！
$
確實學校也會教許多
這方面的知識，
但如果沒有活用在日常生活中，
長大後還是會不知道怎麼
正確使用金錢……

你如果再這樣下去，
長大後會深陷金錢的困境中。
$ 0元
咦？這是未來的我嗎？
那我應該怎麼做，
未來才不會變成這樣？
沮喪
噹噹噹
~!
幸福
善良
智慧
我的神力能引導你
做出正確的判斷。
你必須經過鍛鍊來提高
「何時能用錢」的判斷能力。
只要做出正確的判斷，
就能提升這三項能力。
但是要一個人做出所有的判斷，
也太累了吧！
要懂得自己思考，
才能夠真正學會啊！
交給我吧！
我是格鬥家！
好吧，我找一個人陪你
一起行動。
他是誰？
跟著我一起鍛鍊金錢判斷能力吧！
咦?!
格鬥家成為同伴！

目錄

STAGE 4

如何存到足夠的錢來買超想要的新遊戲軟體？

要怎麼養成存錢的習慣？

☞ P. 20

STAGE 5

雖然現在的鞋子還能穿，但是想要買新鞋子！

怎麼花，才對自己有意義？

☞ P. 26

STAGE 6

腳踏車壞了，要修理嗎？還是該買新車或二手車？

考慮不包含在價格中的費用。

☞ P. 30

STAGE 10

購物網舉辦限時拍賣活動，只剩下 5 分鐘！

網路交易與實體店面販售有何不同？

☞ P. 48

STAGE 11

連假期間和平常日的週末，哪個時段旅行比較省錢？

為什麼旅行的費用會因為時期而有所差別？

☞ P. 52

STAGE 12

購買備用物資時，該為自己還是其他人著想？

發生緊急狀況時，消費者應該採取什麼樣的行動？

☞ P. 56

本書閱讀方式

歡迎來到《理財勇者RPG》的世界！在本書中，你將成為故事的主人翁，解開每一道日常生活中常見的「金錢問題」，學會聰明、正確的金錢使用方式。首先請閱讀以下說明。

在《理財勇者RPG》的世界裡，你會遇上許許多多的問題。你必須為每道問題選擇一個答案，然後翻到下一頁，看看選擇這個答案會有什麼結果。不同的選擇會帶出不同的結果，並且能提升你各種不同的能力，例如「幸福加1點」、「善良加3點」等。隨著這些數值的提升，你的「金錢使用能力」也會不斷升級。回答完全部12道關卡的問題後，你將會知道自己在《理財勇者RPG》的世界裡屬於什麼樣的類型。

1. 隨著回答的問題越多，數值也會不斷累加上去。請先影印右頁的三角圖，每次在數值提升時，就如右圖所示，把增加的額度畫上線條。建議用粗一點的筆來記錄。

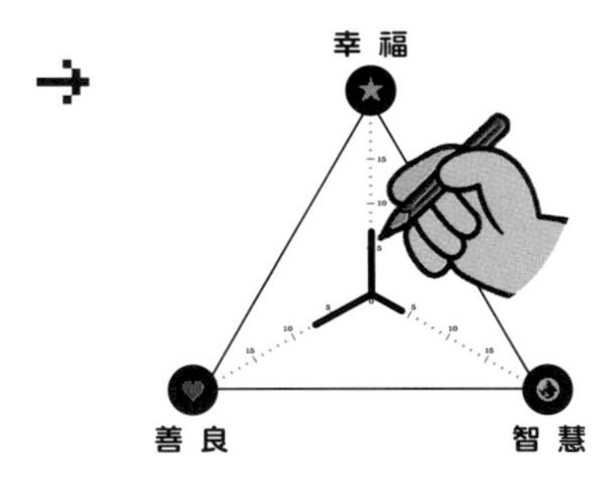

2. 回答完12道關卡的問題後，像右圖把每個數值用線連起來。

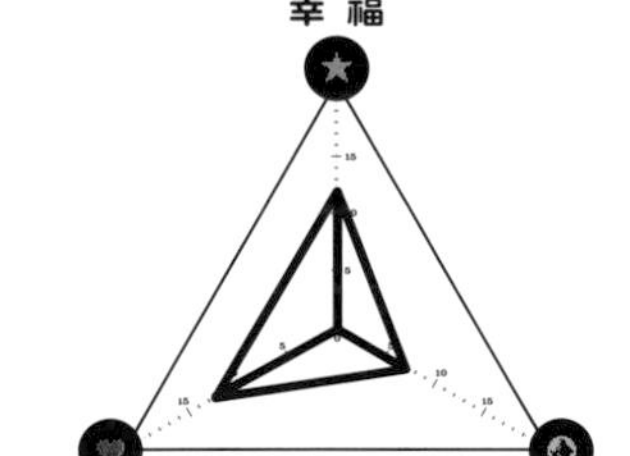

統計完後，就翻到P.62確認統計結果。

如果沒辦法影印，可以在筆記本上畫出像右邊這樣的簡單表格。每次提升數值，就用「正」字來記錄。等到回答完12道關卡的問題後，挑出數值最高的項目及第二高的項目。

幸福	正正正
善良	正
智慧	正正正

可以將這個表
影印下來使用！

數值表

幸福 當自己感覺到幸福時，數值就會提升！

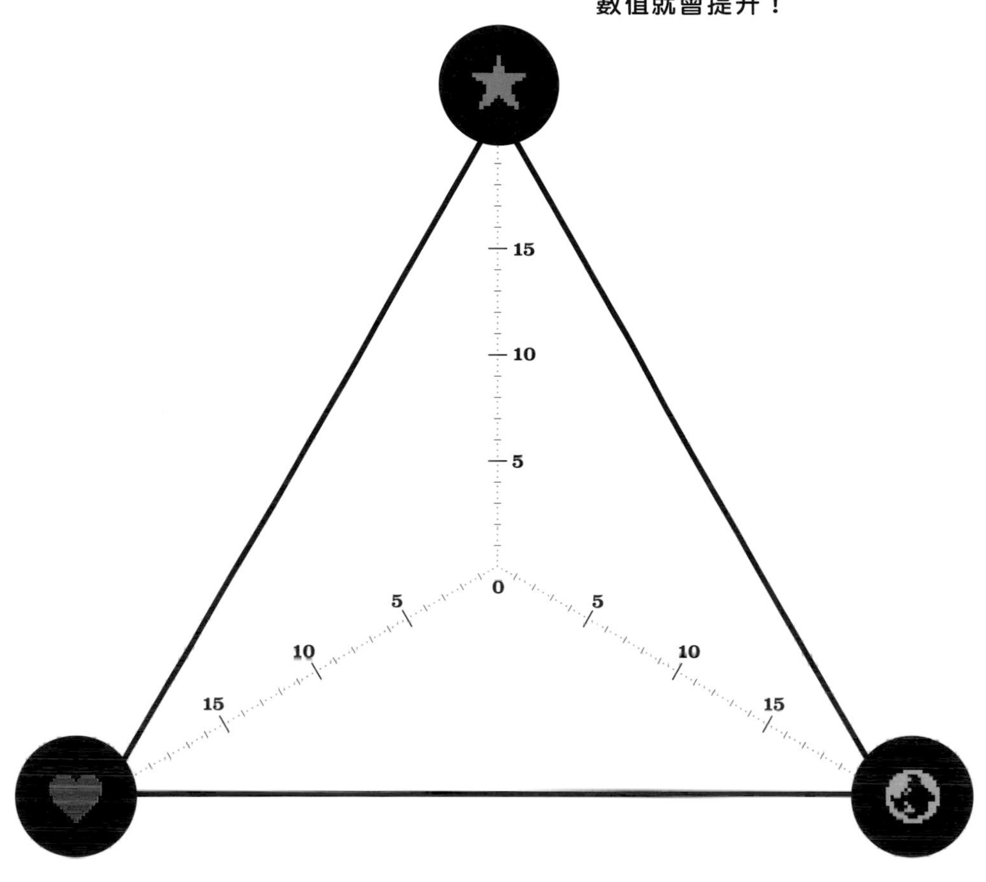

善良

當選擇的項目是為他人或整個社會著想時，數值就會提升！

智慧

當選擇的項目對整個地球環境或生物有好處時，數值就會提升！

現在就讓我們進入《理財勇者 RPG》的世界吧！

這個故事的結局，由你自己來決定！

STAGE 1

想買遊戲軟體，但錢不夠時該怎麼辦？

唔～

慘了啦！
不管怎麼數，
就是少 100 元！

搭啷——

本日難題　今天是期待已久的遊戲軟體發售日！為了購買這個遊戲軟體，你每個月都很努力把零用錢存下來，但是最後還是差了 100 元。現在你該怎麼做？

▶A　▶B　▶C
從這 3 個選項中挑選。

A 向爸爸媽媽要

B 繼續努力存錢

C 讓人雇用你來獲得金錢

只差 100 元而已！
拜託啦！
你向媽媽要 100 元，媽媽詢問理由，你說因為想買遊戲軟體，雖然很努力把零用錢存下來，但還是差了 100 元。媽媽會因此給你錢嗎？
next
沒辦法，
忍耐到下一次
拿零用錢的時候吧！
雖然很想在發售日當天就把遊戲軟體買下來，但是既然錢不夠就也沒辦法了。只要忍到下次發零用錢的日子，就有足夠的錢買遊戲了。
next
原來工作賺錢是這麼
辛苦的事⋯⋯
為了買遊戲軟體，
我要加油！
爸爸說只要幫他清洗工作用的車子，就給你 100 元。聽起來好像很簡單，做起來可是一點也不輕鬆。為了要拿到 100 元，只能咬著牙努力做下去！
next

A
的結果……
真拿你沒辦法，
只有這次喔！
太好了！謝謝媽媽！
這孩子～
媽媽也知道你為了買這個遊戲軟體，已經很努力存錢了。雖然媽媽並不是每次都會答應，但偶爾還是會特別通融，多給你一點零用錢。
○
好好拜託爸爸媽媽，或許就會成功！
★「幸福」增加1點！
B
的結果……
終於達成了～
我要去買囉！
能買遊戲軟體了！
多忍耐了一個月，你終於用自己的零用錢存到目標金額！如果每個月都有固定的零用錢，那等待也是一種相當好的戰術。恭喜你！你終於等到這一天了！
○
你靠著自己的力量存到目標金額！
♥「善良」增加2點！
C
的結果……
辛苦你了！
這是給你的酬勞！
太好了！
這次你做的不是打掃廁所、洗碗之類的家事，而是幫忙爸爸做工作上的事，所以爸爸給了你一些錢。透過這次的事情，你體會到大人工作賺錢是一件多麼辛苦的事。
◎
靠工作獲得了收入！
★「幸福」增加3點！
♥「善良」增加2點！

錢是怎麼來的？

你平常拿到的零用錢、壓歲錢等，都是從哪裡來的？當然，錢這種東西，絕對不會從樹上生出來。你所拿到的錢，都是你的爸爸、媽媽、爺爺、奶奶或其他的親人努力工作得到的收入。所以每個人想要獲得任何東西，都必須努力賺取金錢。

賺錢絕對不是一件容易的事。以打工來說，不知道你是否曾經見過像是「時薪 xxx 元」的徵人廣告？「時薪」的意思，就是工作一個小時所能拿到的金錢。例如想買 3500 元的遊戲機，假設時薪 100 元，得工作 35 個小時。如果一天工作 7 個小時的話，就得工作 5 天。或許你會認為「工作 5 天好像也沒什麼困難」，但在這 5 天裡，你不但要小心不能犯錯，還要思考如何讓客人滿意，過程可說是非常消耗腦力和體力。

在臺灣，國小學生很難靠真正的工作來賺取收入。除了法律的規定外，再加上大部分的雇主不相信國小學生擁有和大人一樣的工作能力。

如果你真的很需要錢，或許可以思考如何運用你最擅長的事情再轉換成金錢收入。在美國，有很多小學生會靠販賣「檸檬水」來賺錢，並且將賺到的錢當成自己的零用錢，甚至是捐給慈善團體。

因為你沒辦法在社會上工作，或許你可以和家人商量，由家人來雇用你。不過像這樣的情況，你必須注意一點，那就是像打掃廁所這類的家事，不應該向家人收錢。因為平常家人做這些家事，也沒有向你收錢。如果你想賺錢，你應該尋找其他讓家人願意雇用你的事情。如果你的家人剛好希望有人幫忙做一件事，而這件事剛好又是你的專長，或許家人就會願意雇用你了。

STAGE 2

和朋友比賽贏了，該怎麼做才好？

A

跟朋友說不用請你

B

建議取消這個打賭

Q

本日難題 你跟兩個好朋友相約一起到游泳池玩水。你們比賽游泳，而且說好最輸的人要請其他人喝飲料。你雖然贏了，但是心情卻有點複雜。現在該怎麼辦才好呢？

▶ A ▶ B
從這 2 個選項中挑選。

你拒絕讓朋友請喝飲料，因為你覺得這樣對朋友很不好意思。如果換成是自己，要拿零用錢來請朋友喝飲料，應該也會覺得很不甘心吧！

仔細想想，「輸的人要請客」這種事本來就不太好。你在游泳時，產生了這樣的想法，所以建議朋友取消打賭。但是當初提議的朋友嚇了一跳，你開始擔心這麼做是不是錯了……

朋友之間的金錢往來常常會造成糾紛，一定要特別小心。除了不能賭錢之外，像飲料這種必須花錢買的東西，也不應該作為賭注。如果遇到有朋友提出打賭的建議，一定要果斷拒絕。

○ **與朋友之間不能有金錢往來。**

★「幸福」增加1點！
♥「善良」增加1點！

朋友之間剛開始打賭可能只是好玩，但久了之後會產生「那個朋友很有錢」的想法，最後很容易變成總是同一個朋友請客的狀況。建議朋友別做打賭的行為，就能夠避免發生朋友之間的霸凌或金錢糾紛。

○ **打賭的行為往往會引發糾紛。**

♥「善良」增加2點！

不應該讓朋友請喝飲料嗎？

金錢的往來別說是孩子，就連大人也常常會發生糾紛。而且像這樣透過遊戲或比賽來決定由誰付錢或由誰拿錢的行為，也算是一種賭博，甚至有可能觸法！

何況想一想，你的零用錢是從哪裡來？都是家人努力工作得來的，對吧？靠工作得來的金錢，叫做「收入」。為了生活所花掉的金錢，叫做「支出」。

每個人的家庭都需要維持收入與支出的平衡，這就稱為「家計收支平衡」。收入除了要支付稅金及購買生活必需品外，還要支付全家一起出去玩的花費，以及給你的零用錢。還有，收入的一部分必須存下來。如果家人突然受傷或生病，必須看醫生；或是冰箱之類生活上不可或缺的家電用品突然壞了，不得不購買；另外還有你的學費及將來需要用到的花費，這些都必須靠平常的儲蓄來支付。

你的家人平常給你零用錢，是因為希望你能學會正確的用錢觀念，將來長大後才能維持家庭的收支平衡。因此你更應該要好好思考，把錢花在什麼樣的地方才是正確的做法。

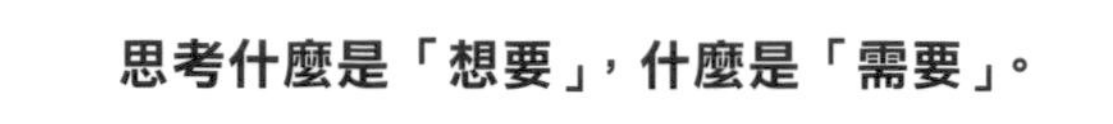

STAGE 3

「想要的東西」和「需要的東西」有什麼不同？

A 買學習時會用到的東西

B 到電動遊戲場打電動

Q **本日難題**

今年過年一如往昔，你去了爺爺奶奶家，拿到了壓歲錢。爺爺奶奶告訴你，這筆錢要拿來買「需要的東西」。但什麼是「需要的東西」？

▶ A　▶ B
從這 2 個選項中挑選。

壞掉的鉛筆盒、太短的鉛筆、跑到破掉的布鞋……用壓歲錢購入這些需要換新的東西，相信爺爺奶奶也會很開心吧！在學校要用到的東西，就算是「需要的東西」。

每個月的零用錢總是不夠花，但是和朋友一起遊玩是很重要的事情。不管是在電動遊戲場打電動，還是到便利商店買零食吃，對你來說都是「需要」的。

A 的結果……

☞ 從這些買來的東西，你感受到爺爺奶奶對你的關愛。用這些東西來讀書學習，更能集中精神。果然買「在學校要用到的東西」是正確的決定，你決定剩下來的壓歲錢也要花在這些事情上。

◎ **需要的東西，指的是不能沒有的東西。**

♥「善良」增加2點！
「智慧」增加1點！

B 的結果……

☞ 爸爸得知你把壓歲錢全部花在打電動及吃零食上，把你罵了一頓。就算不打電動、不吃零食也不會怎麼樣，但是鉛筆盒是一定需要用到的東西。所以你現在真正需要的應該是鉛筆盒。

△ **電動跟零食都不是「需要的東西」。**

★「幸福」增加1點！

什麼是想要的東西？什麼是需要的東西？

親戚在給你壓歲錢或紅包的時候，可能會告訴你「可以拿來買需要的東西」。不過，你是否有過這樣的疑惑：什麼是需要的東西？想要的東西算不算是需要的東西呢？

首先要釐清的是：想要的東西和需要的東西，到底有什麼不同？

需要的東西，指的是「生活上不能沒有的東西」。例如吃的食物（食）、穿的衣物（衣）及居住的房子（住），都是生活上不可或缺的東西，所以都算是需要的東西。另外像是你上學或學習時會用到的東西，當然也都是需要的東西。但是要判斷什麼東西需要，什麼東西不需要，有時候其實並不容易。

舉個例子，假設你現在很想要新的鉛筆盒。如果沒有鉛筆盒，讀書學習的時候會很不方便，通常我們會認為這是需要的東西。但這時候我們必須先思考一個問題，那就是現在的鉛筆盒真的不能用了嗎？當然如果破掉了，或是拉鍊壞掉了，就沒辦法再繼續使用，必須買新的鉛筆盒。但如果現在的鉛筆盒還能使用，只是想要看起來更加新穎漂亮的鉛筆盒，就不能算是需要的東西。這就是「想要」和「需要」的差別。

把錢用在購買想要的東西，當然不能算是錯誤的行為，但是在這麼做之前，應該先確認看看有沒有需要的東西。

STAGE 4

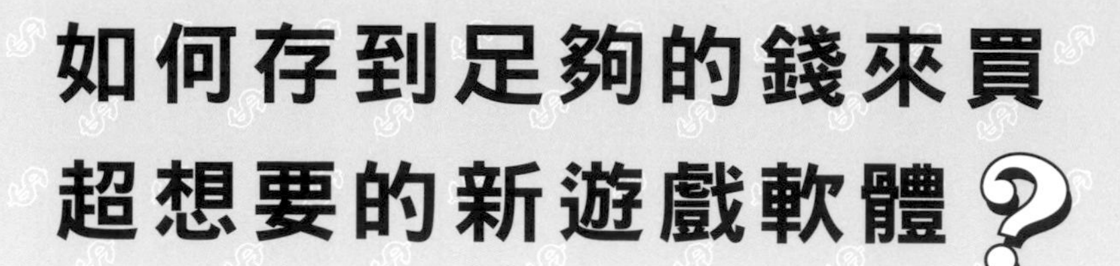

如何存到足夠的錢來買超想要的新遊戲軟體？

A

每個月存下固定的金額

B

把花剩的零用錢存下來

Q

本日難題

你最喜歡的電動遊戲，系列新作預計在 1 年後發售！預定售價為 1200 元。你每個月的零用錢是 200 元，你應該怎麼存錢，1 年後才能買下這個遊戲軟體？

▶ A　▶ B
從這 2 個選項中挑選。

月初一拿到零用錢，你馬上就把 100 元放進撲滿裡。只要持續這麼做，12 個月後一定能存到 1200 元。重點就在於能不能堅持一整年。

你選擇的方法是每個月盡量少花零用錢，然後把剩下的錢放進撲滿裡。這樣的做法比較不會有壓力，能夠自然而然存到錢。

A的結果……
你們不吃冰嗎？
每個月能用的錢只剩下 100 元，但我一定要忍耐！
「固定金額儲蓄」的做法，能確保一定能存到目標金額。雖然有幾個月可能會發生錢不夠用的狀況，而且精神上的壓力會比較大，但如果想買遊戲軟體，這是最確實的做法了！
◎
關鍵就在於能不能忍痛捨棄「現在的幸福」！
★「幸福」增加 3 點！

B的結果……
一年後
咦……好奇怪……錢完全不夠……
沮喪！
「剩餘的錢才存下來」的做法，雖然不會累積壓力，但是比較難在固定的期限裡，存到固定的金額。而且必須要隨時注意當下的存錢進度，要不然可能會不知道現在到底存了多少錢。
○
有可能無法在期限之內存到目標金額。
★「幸福」增加 2 點！

養成記帳的習慣，建立良好的存錢觀念

當出現一個想買的東西時，就算現在的錢不夠，只要努力存錢，將來還是可以存到足夠的金額來購買。你曾經存過錢嗎？現在有沒有存錢的習慣？是否正在煩惱沒辦法好好把錢存下來呢？

存錢其實有個小技巧，那就是一拿到零用錢，立刻把固定的金額放進存錢筒，這就是「固定金額儲蓄」。

固定的金額是多少錢呢？這有兩種情況，如果是已經知道這筆錢將來有什麼用途，例如想要買遊戲軟體，這時可以根據「目標金額」及「期限」來決定存錢的金額。舉例來說，如果你想要在「5個月後存到100元」，因為「100（元）÷5（個月）=20（元／月）」，所以每個月的固定存錢金額就是20元。

另外一種情況，則是還沒有決定這筆錢將來要做什麼用，只是先存下來以備不時之需。像這樣的情況，可以先計算看看每個月大概可以存下多少錢。計算的方式，是先列出每個月一定要買的東西，或者是想買的東西，再從拿到的錢裡頭扣掉。像這樣先訂出大致的零用錢使用計畫，就可以知道大概可以存下多少錢。

想要規劃出零用錢的使用計畫，「記帳」是一個很好的方式。記帳不僅可以知道自己在什麼事情上花了多少錢，而且還可以確認自己有沒有亂花錢。就算是相當昂貴的東西，只要能夠好好存錢，將來一定能夠買下來！

記帳範例：

日期	項目	拿到的錢	付出去的錢	剩下的錢
1日	零用錢	200元		200元
3日	買零食		20元	180元
7日	買鉛筆		15元	165元
12日	爺爺給的	100元		265元

我們學會了好多知識，能力值也上升了不少呢！
所有跟錢有關的知識，我們大概都已經學會了吧！
冒出
才沒有那回事！
關於錢的知識，可是非常深奧的！
花錢可以是為了自己，也可以是為了他人！
從電視跑出來？
嚇我一跳！
……為了他人？
這是什麼意思？
為了他人而使用金錢……
這是最基本的金錢使用知識！
女神大人，您說對吧？
閃亮登場
就讓我來爲你們說明吧！
見習商人出現了！
為了成為第一流的商人，
我每天都在學習關於錢的知識……
舉例來說，只要我們多購買地方特產，當地的居民就會變得富裕！
喔？
原來如此！

理財勇者RPG

可是原理是什麼？
呃，這個
我也不清楚……
看來你也沒什麼了不起嘛。
怒
你什麼都不知道，還那麼臭屁！
要打架就把武器放下！
空手來一決勝負吧！
住手！不准打架！
你也跟他們一起旅行吧！
雖然學習金錢知識很重要，
但是實際使用金錢或許能有
新發現呢。
我還需要繼續鍛鍊嗎？
……我明白了。
太好了，
同伴又增加了！
可別扯我們的
後腿喔！
那是我要說的話！
見習商人成為了同伴！

STAGE 5

A

馬上央求爸爸媽媽買下來

B

穿原本的鞋子，放棄買新鞋

Q

本日難題

某一天，你陪家人到鞋店買爸爸的鞋子，看到一雙號稱「能跑得很快」的運動鞋。雖然你現在的鞋子很合腳，也沒有壞，但為了在運動會的接力賽中獲勝，你非常想要買這雙鞋子！

▶ A ▶ B
從這 2 個選項中挑選。

聽說那是最新科技，
能夠讓人跑得更快！
拜託買給我嘛！
只要穿上這雙鞋子，一定能在
接力賽中獲勝！
你告訴媽媽，運動會快要到了，你被選為接力賽選手，因此想要買那雙能跑得更快的最新款運動鞋。接著你向媽媽保證，原本的鞋子也會繼續穿，而且兩雙鞋子都會好好愛惜。
next
原本的鞋子還能穿，
跑步起來也沒有問題，
不是嗎？
這麼說也對，
還是應該先等原本的鞋子
穿壞再說……
畢竟原本的鞋子還能穿，與其買新鞋子，不如把錢存下來，或許之後會有更好的用途。
next

A 的結果……

媽媽認同了你的想法。雖然原本的鞋子還能穿，但是買一雙新鞋的收穫將會大於鞋子本身的價值。這讓你對接力賽有了更大的幹勁！

○ 提升了你對運動會的幹勁！

★「幸福」增加3點！

B 的結果……

你決定好好珍惜原本的鞋子，不再購買新鞋。離開鞋店後，一家人吃了美味的餐點。雖然沒有買鞋子，但你覺得自己很幸福。

◎ 你覺得這樣的花錢方式對自己很有意義！

★「幸福」增加2點！
♥「善良」增加2點！
「智慧」增加5點！

思考每一個選擇的優點及缺點

你是否發生過明明很想買某樣東西，家人卻告訴你「好好想清楚」的情況？

「好好想清楚」是什麼意思？到底要想什麼呢？如果你有這樣的疑惑，建議你可以把心中的想法整理成像下方那樣的表格。

首先，你必須把所有的選項都列出來。例如要不要買某樣東西？如果要買的話，要在哪裡買？買多少價位的產品？都列出來之後，**針對每一個選項，寫出要花多少錢（費用），以及所有你想得到的好處（優點）及壞處（缺點）**。就算費用昂貴，只要好處大於壞處，或許就有購買的價值。反過來說，如果花了錢後沒辦法得到什麼好處，這筆錢最好還是別花比較好。

每一個選項有多大的好處及壞處，會隨著你的目的、當下的狀況及你的價值觀而有所不同。舉例來說，同樣是「跑出好成績」，對重視運動的人和不重視運動的人來說，感受絕對不同。因此，**應該「好好想清楚」的是：想買的那樣東西，是否真的對你有價值**。

選項 需要想清楚的事	買	不買（繼續穿舊鞋）
費用	990元	0元
優點	・在接力賽中或許能夠破自己的紀錄。 ・能夠提升幹勁。 ・看起來很帥。	・不用花錢。 ・因為是已經穿習慣的鞋子，所以很安心。 ・同一雙鞋子穿久一點也比較環保。
缺點	・要花錢（不能買其他想買的東西）。 ・在適應新鞋之前，腳可能會磨破皮。 ・因為是新鞋，會擔心弄髒。	・如果對手買了「能跑得很快的運動鞋」，或許會跑得比自己快。 ・有點舊……

STAGE 6

腳踏車壞了，要修理嗎？還是該買新車或二手車？

A 將腳踏車修理好繼續使用

B 買新的腳踏車

C 買二手的腳踏車

本日難題 喜歡的腳踏車壞掉了。換鍊條加上前後輪，總共要花 1500 元。買一輛自己一直想要的新腳踏車，要花 2600 元。但如果是購買二手腳踏車，則是 1800 元。該怎麼做才好呢？

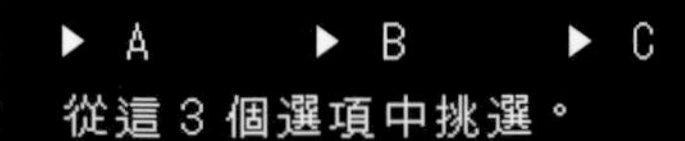

▶ A　▶ B　▶ C
從這 3 個選項中挑選。

這輛腳踏車在你心中留下了很多的回憶，而且修理畢竟比買一輛腳踏車便宜，所以你決定把它修理好後繼續使用。愛惜物品是一個很重要的美德。

next

雖然買新車比修理貴了一點，但騎新車畢竟還是比較開心。既然多花點錢就能得到一輛全新的腳踏車，當然還是買新車比較划算。

next

你想到可以購買便宜的二手腳踏車，所以來到了二手腳踏車店。你看見了一輛狀況相當不錯的二手腳踏車，決定將它買下來。

next

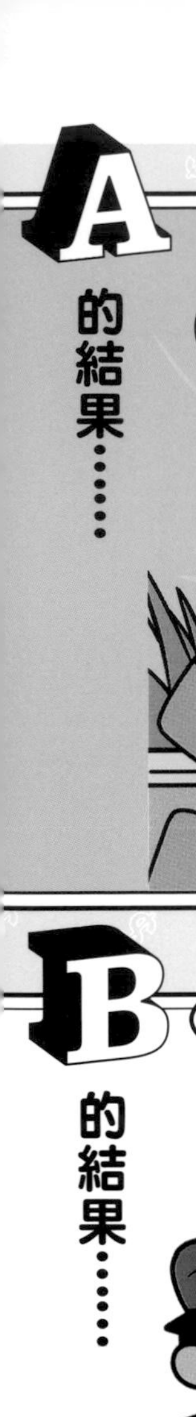

A的結果……

狀況跟新的腳踏車沒什麼不同呢！

換了一些零件，騎起來跟新的一樣！

東西用久了當然會故障，但如果故障的情況不嚴重，只要修理及換掉一些零件就行了。這是最不浪費資源的做法，而且也相當環保。

只要修理及換掉一些零件就行了。

♥「善良」增加 2 點！
「智慧」增加 5 點！

B的結果……

原來報廢舊的腳踏車得聯絡清潔隊回收……

我想起來了，電視新聞上說過現在的報廢腳踏車實在太多……

騎新的腳踏車是一件很開心的事，但你是否想過壞掉的舊腳踏車要怎麼處理？報廢舊腳踏車不僅會讓地球上增加大型垃圾，對環境也是一大負擔……

報廢腳踏車會增加垃圾。

★「幸福」增加 1 點！

C的結果……

雖然沒有最新的機能，但是只要能騎就行了！

真是一次相當環保的購物呢！

你買了一輛狀況相當不錯的二手腳踏車。雖然不是漂漂亮亮的新車，但是價格比新車便宜。這麼做不會增加大型垃圾，而且從愛惜物品的角度來看，也是很好的做法。

購買二手腳踏車能夠讓資源受到充分運用！

「智慧」增加 4 點！

女神瑪妮娜的教誨

買東西不能只在意價格

通常我們在買東西的時候，都會先比較價格。但除了價格之外，你是否曾想過這項商品會對地球造成什麼樣的影響？

舉例來說，**全新的腳踏車雖然很吸引人，但是在製造的過程中會排出二氧化碳**。當大氣中的二氧化碳越來越多，就會造成全球暖化，引發洪水及海平面上升，有些人可能會被迫搬離原本居住的地區，而且氣溫上升也會導致農作物歉收、缺水等問題，人類以外的各種生物也會變得難以生存。除此之外，過度生產還會造成資源匱乏，人類為了採集更多的資源，將會進一步破壞環境，造成空氣污染。

想像一下腳踏車被拋棄的畫面。堆放腳踏車的垃圾場，周圍的環境會越來越惡化。雖然材料可以回收利用，但是將廢棄腳踏車搬運到資源回收工廠的過程，還是會排放出二氧化碳。

換句話說，腳踏車的生產會破壞環境，但是修復環境所需要的費用通常不包含在腳踏車的價格中，這些成本都被轉嫁給了特定的地區，或是未來的子孫。

因此**我們在購買任何東西之前，都必須審慎思考這些眼睛看不見的影響**。除了要評估買或不買的優缺點外，還得考量這個決定會對地球環境造成什麼樣的影響（參考下方表格）。

腳踏車壞了的時候

	① 修 理	② 買新腳踏車	③ 買二手腳踏車
價 格	1500 元	2600 元	1800 元
優 點	・花費較少。 ・能夠節約資源。 ・不增加垃圾。	・款式最新。 ・比較不會損壞。 ・看起來很帥氣。	・看起來乾乾淨淨。 ・比新腳踏車便宜。 ・減少資源的耗費及垃圾量。
缺 點	・舊腳踏車需要定期維護。 ・要請專業人士檢查及確認是否能夠安全騎乘。	・價格較高。 ・耗費資源。 ・舊的腳踏車報廢後變成垃圾。	・並非最新款式。

STAGE 7

怎麼買才是「最聰明」的購物法？

呼……口好渴，
我們去買飲料吧。
好啊，我贊成……
媽媽也說過，
運動完要補充水分。

本日難題 你在公園裡玩了一會，覺得口很渴。公園旁邊的自動販賣機可以買到運動飲料，350 毫升裝每瓶 20 元。附近的超市也可以買到相同的運動飲料，600 毫升裝每瓶 30 元。該買哪一種呢？

▶ A ▶ B
從這 2 個選項中挑選。

A 買自動販賣機的運動飲料

B 買超市的運動飲料

你在公園附近的自動販賣機買了你最喜歡的運動飲料。到處都有自動販賣機，想喝的時候隨時都能買得到，真是太方便了。

你來到公園附近的超市，在這裡也買得到你想喝的運動飲料。雖然價格比自動販賣機多了 10 元，但是比較大瓶！

A 的結果……
唉，一下子就喝完了！
如果還想喝，
就得再買一瓶……
大熱天在戶外遊玩，350毫升的運動飲料根本不夠喝。如果在自動販賣機買第二瓶運動飲料，花的錢就比在超市買還多了……
△
花費雖然比較少，
但並不划算。
♥「善良」增加1點！
350÷20=17.5
1元只能買17.5毫升的
運動飲料，真不划算……
B 的結果……
600÷30=20
1元能買20毫升的運動飲料，
真是太滿足了！
好！繼續玩吧！
超市賣的運動飲料，一罐的花費雖然比自動販賣機賣的多了一些，但是容量大得多，算起來反而比較便宜。就算喝不完，也可以帶回家。
○
花費雖然多了一些，
但是容量大得多！
★「幸福」增加2點！
喝完飲料
精神都來了！

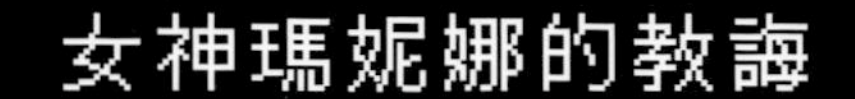

掌握購物技巧，才能買得划算

在這個例子裡，20 元可以買 350 毫升的運動飲料，30 元可以買 600 毫升的運動飲料，乍看之下不知道哪一邊比較便宜。遇到這種情況，只要以「容量 ÷ 價格」來計算……

350÷20=17.5　1 元能買的運動飲料為 17.5 毫升

600÷30=20　1 元能買的運動飲料為 20 毫升

經過計算後，可以得知大容量的運動飲料每一元可以買到更多的容量，所以購買大容量的運動飲料比較划算。

雖然如此，但要注意一點，那就是能不能喝得完。假如買了大容量的運動飲料，卻只能喝 350 毫升，剩下的都必須丟掉，會變成什麼樣的結果？讓我們重新計算看看。

600−350 = 250　喝不完而丟掉的運動飲料為 250 毫升

250÷20 = 12.5　丟掉的 250 毫升運動飲料，價格為 12.5 元

由此可知，購買大容量的運動飲料必須丟掉12.5元的運動飲料，真是太浪費了！像這種情況，購買自動販賣機的運動飲料反而比較便宜，而且還可以減少浪費。換句話說，在買東西的時候，除了必須比較每一元能夠買多少分量之外，還必須想清楚自己需要多少分量。

STAGE 8

應該在超市買，還是在便利商店買？

A 在超市購買

B 比較價格之後再購買

Q

本日難題

媽媽要你幫忙買醬油，還告訴你「路上的便利商店也買得到，但是超市賣的比較便宜，所以要在超市買」。你感到很好奇，在超市販售的，真的比較便宜嗎？

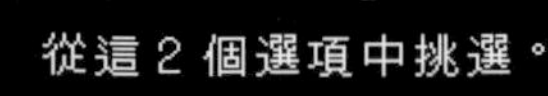

▶ A　▶ B
從這 2 個選項中挑選。

這麼多年來，都是媽媽負責買菜，所以媽媽說的絕對不會錯。雖然在住家附近的便利商店買會比較方便，但你決定照媽媽的話做，到超市買醬油。

媽媽似乎認為「便利商店賣的東西一定比超市貴」，但真的是這樣嗎？你決定先到便利商店看看價格，再前往超市，比較兩邊的價格差異。

A的結果……
醬油的種類好多呢！
媽媽平常買的是……
這個牌子嗎？
超市的商品種類琳瑯滿目，從貴的到便宜的都有。雖然沒有比較過其他店家的價格，但媽媽說的絕對不會錯，超市賣的一定比較便宜。
○
超市的商品從貴的到
便宜的都有。
♥「善良」增加1點！

B的結果……
150元
比較便宜！
135元
不同店家賣的價格
都不一樣……
當然是買便宜的！
實際比較才會
知道差異呢！
便利商店的優勢主要是「24小時營業」及「方便性」，過去大多是依照商品的定價進行販賣，不過這幾天便利商店剛好有折扣，價格甚至比超市便宜。
◎
當不確定時比較一下，
才能買到最便宜的商品！
♥「善良」增加2點！

商品相同，價格卻不一樣？

除了超市外，便利商店也有販賣醬油之類的調味料。同樣的產品，常有許多不同的種類，就算是相同品牌的商品，每家店販賣的價格也不一樣。為什麼會有這樣的差異呢？

生產者	在決定價格的時候，必須計算製造商品的成本、將商品運送到店鋪內的費用，以及自身企業的獲利。
販賣者	店鋪（零售業者）是向生產者購買商品，放在店裡販賣。因此在決定價格的時候，會再加上販賣商品所需要的費用，以及自身店鋪的獲利。

店鋪會直接向生產者購買大量商品，藉此壓低商品的價格，或是自行研發新商品，再委託工廠進行製造（這種做法稱為「自有品牌」），這麼一來商品的價格就能夠降低。由於每一家店鋪的做法並不相同，所以就算是相同品牌的醬油，在不同家販賣的價格也會不同。

在幫媽媽買東西的時候，應該要好好比較商品的內容物差異、分量及價格。一邊推測店鋪的販賣手法，一邊選購商品，也是一件很有趣的事。

※ 比價固然重要，不過也必須考量「時間成本」。譬如花了很多時間去比價，最後卻只省到一點點錢，如此也是得不償失。
更重要的是平時就關心生活周遭，學會留意每個日常用品的物價動態，那自然就不用花太多時間在比價上，如此才是更為聰明的做法喔！

店鋪向生產者進貨的情況

生產者

製造商品的成本 / 將商品運送到店鋪內的費用 / 自身企業的獲利

販賣者

商品的進貨成本 / 販賣商品所需要的費用 / 自身店鋪的獲利

消費者

每一家店鋪的實際做法都不相同，所以價錢也不一樣。

※ 一般而言如果是工業產品，製造業者與零售業者之間還會存在批發業者，他們會向製造業者進貨，再轉賣給零售業者。

我們學到好多知識，
能力值又上升了呢！
這都是我的功勞！
不，是我的功勞吧！
只要在思考金錢問題的同時……
自己
他人
顧慮到自身幸福及
體恤他人就行了！
要注意的可不只這樣！
冒出
關心我們的地球，
也是不可忽略的環節喔！
破碎品
關心我們的地球？
這是什麼意思？
這個嘛，舉例來說，
像是支付毀損物品的
修理費用，
修好後再次使用……
這可是守護地球資源
的重要觀念！
小豬豬現身！

真不可思議！
牠在說話！
交頭接耳
為什麼牠能飛在天上？
剛剛明明還是小豬撲滿啊！
難道是女神大人的寵物？
……
……這孩子可不是寵物！
你們真是……
接下來，請你們跟牠一起學習——在使用金錢的同時，關心地球的環境及資源。
只要擁有正確的金錢觀念，
地球環境就會越來越好喔！
聽起來好難……
自己的幸福
其他人的幸福
地球的幸福
雖然有時候不見得能夠實現所有人的幸福，
但我們還是應該具備這些知識，並且在使用金錢時好好考慮清楚。
放心吧！
有我們陪著你！
讓我們一起來思考吧！
說得沒錯！
讓我們繼續冒險吧！
小豬豬成為同伴！

STAGE 9

買了新衣服，卻在另一間店發現同款衣服打 5 折！

A 將T恤拿到購買的店裡退貨

B 不退貨，當作沒看見

C 把5折的T恤也買下來

本日難題 你在一家你很喜歡的店裡買了一件T恤，回程的路上進入另外一家店，竟然發現完全相同的T恤在打 5 折！你心裡覺得很懊惱，不知道該怎麼做才好……

▶ A ▶ B ▶ C
從這 3 個選項中挑選。

立刻到原本的
店裡退貨！
現在立刻回去，
應該會讓我們退！
T恤是剛剛才買，收據都還留著，而且T恤是完全沒有穿過的新品狀態，標籤也沒有剪掉，應該可以退貨吧！趕快回那家店！
next
基於這種私人的理由而退貨，
會給店家帶來困擾！
?
既然已經付了錢，T恤本身也沒有瑕疵，就不應該退貨。發現打5折的T恤，這種事情跟店家無關，只能當作沒看見。
next
打5折實在太划算了，
乾脆連這件也買下來吧……
如果你都會穿的話，
這是個好主意！
你本來就很喜歡這件T恤，更何況打5折實在太便宜，你決定多買一件。夏天常常需要換掉身上的T恤，多買幾件應該不算浪費錢。
next

※ 未成年者在未經父母或法定代理人同意的情況下締結的買賣契約，是可以取消的。
但如果金額只是零用錢程度的買賣契約，或是在購買時謊稱自己是成年人，這樣的契約依然無法取消。

任何購物行為都是「契約」

你聽過「契約」這個詞嗎？聽過的人可能很多，但詳細了解的人或許不多。

所謂的契約，指的是在法律上會產生權利和義務的約定。**你平常購買東西的行為，也是一種契約，稱作「買賣契約」**。

如下圖所示，當我們在買東西的時候，我們會向店家表達「我想要買這個商品」的意願，店家也會向我們表達「我想要賣這個商品」的意願。當買方與賣方達成共識時，契約就成立了。就算只是口頭上的約定，契約也會成立，並不見得一定要在契約書上簽名或蓋章。

在你付錢購買T恤的當下，契約就成立了，**原則上不能因為私人理由而取消契約**。雖然現在有很多商家會提供一定期間內的免費退換貨服務，但還是建議大家在買東西前要考慮清楚，才不會造成其他人的困擾喔！

STAGE 10

購物網舉辦限時拍賣活動，只剩下 5 分鐘！

Q 本日難題

你正在購物網上看衣服，忽然遇上「限時拍賣活動」。你看上的那件帥氣帽T，現在竟然打 3 折。一看活動的「剩餘時間」，只剩 5 分鐘就要結束了。現在該怎麼做才好？

▶ A　▶ B
從這 2 個選項中挑選。

A 立刻買下來

B 慎重考慮再做決定

要是錯過這個機會，恐怕再也沒有辦法遇上 3 折的優惠了。能夠剛好碰上拍賣活動，也算是一種緣分。趁著自己的尺寸及喜歡的顏色還沒有賣完之前，立刻按下購買鍵！

「打 3 折」確實很吸引人，但如果這不是限時的拍賣活動，你應該不會立刻決定購買。在想通了這點之後，你決定先不購買，和爸媽討論後再做決定。

A
的結果……
過了幾天
咦，這次變成
打 2 折了……
……
哇～
80% off
網路商店經常會利用「限時」或「限量」的促銷手法來吸引買氣（想要購買的欲望），一定要特別謹慎小心。很可能會在拿到商品之後，才發現和原本所想的不一樣，或是在加了運費後，價格沒有比較便宜。
千萬不能在網路上
衝動購物！
沒有提升任何數值。

B
的結果……
實際穿了才發現
布料好薄，
顏色也不對……
過了幾天，你在服飾店裡發現一模一樣的帽T。試穿之後，感覺品質有點差，幸好當初沒有因為限時拍賣就急著購買。
看了實際的商品，
可能會改變想法。
★「幸福」增加 2 點！
♥「善良」增加 1 點！
「智慧」增加 3 點！
沒有實際看到商品，
很難做出正確的判斷。
這是常有的事。

網路購物的注意事項

在網路上買東西，就是「網路交易」。

這種購物方式的優點，是能夠輕鬆比較各種商品的價格及性能，而且在家裡就能購物，不用親自前往店鋪。對於老年人或受傷、生病的人來說，前往店鋪是一件很吃力的事情。像米、水這類生活必需品，要從店鋪搬回家裡實在很累。但只要採用網路購物，就會有專人配送到府，完全不用出門，實在是相當方便。

但是要特別注意，網路購物在購買時沒有辦法看到實際的商品。雖然可能有很多商品的照片，但是有一些細節沒有辦法從照片看出來，因此實際收到的商品可能會與想像有落差。而且由專人配送雖然相當方便，但可能要負擔運費。此外，若是在網路上購買服飾類商品，也沒辦法試穿及透過觸摸來確認質感。

有些網路購物業者會在網頁上標示「拍賣剩餘時間」或「庫存數量」，藉此讓購物者心生焦慮，產生想要趕快購買的衝動。因此在網路購物的時候一定要保持冷靜，好好想清楚自己到底需不需要。

網路購物時要注意的環節

關於販賣業者	確認是否詳細記載登記地址。如果覺得可疑，就要在網路上搜尋這家業者，確認其可靠性。
	確認有沒有記載電話號碼。如果只有電子信箱，就要特別小心。
關於網站	確認網址的前面有沒有鎖頭符號🔒，開頭是不是「https:// ～」。如果網址的尾碼是相當陌生的字串，如「.xyz」或「.bid」，就要特別小心。
	文字中如果包含簡體字，就要特別小心，有可能這個網站的網域不在臺灣。
	如果網頁中的詞句相當不自然，看起來像是外文丟翻譯網站而有的文字，表示這個網站不夠專業、可能造假，像這種情況就要提高警覺。
關於商品及買賣條件	價格是否低得不合理。
	有沒有銀行匯款以外的支付方式。
	確認運送方式及運送時間。
	確認取消訂單條件、退貨條件及使用規範。

STAGE 11
連假期間和平常日的週末，
哪個時段旅行比較省錢？
媽媽我啊，想去景色優美的觀光景點！
……
露營！露營！我想去露營！
A
選擇一般的週末
B
選擇連假期間
Q
本日難題
你跟家人們討論家庭旅行要去哪裡，最後的結論是去有小木屋的露營場。網站上說住宿費用會隨著不同時期而變動，於是你們開始煩惱該什麼時候去才好。
▶ A ▶ B
從這 2 個選項中挑選。

我想要馬上出發！
就下個月的週末吧！
就算玩得再累，
隔天早上我也會
乖乖起床上學！
這一次是相當難得的家庭旅行，而且還是你非常期待的露營。你等不及想要立刻出發，所以你請爸媽預約了下個月的週末。
next
等到連假的時候再去，
比較能夠好好放鬆心情！
這麼說也對！
家庭旅行可以趁連假的時候出發，並且安排在假期結束的前一兩天就先回到家，爸媽就還有時間能在家裡好好休息。而且通常連假期間，旅遊景點也會舉辦各種有趣的活動。
next

選擇週末出發，不管是住宿一晚的費用，還是餐費及其他雜費，都還算便宜。

○ **旅行的花費比想像中要少了一些。**

★「幸福」增加1點！
♥「善良」增加2點！
「智慧」增加2點！

同樣是住宿一晚的費用，連假期間的費用比一般週末要高得多，而且觀光景點也會出現大批的人潮。不過好處是爸爸媽媽回家之後還可以好好休息。

○ **雖然玩得很開心，但是花費比較多……**

★「幸福」增加2點！
♥「善良」增加2點！

同樣是旅行，連假期間出發會比較花錢

想想看，旅行的過程中，有哪些環節必須花錢？首先是前往目的地的交通費，以及住在飯店的住宿費，此外還有享用美味餐點的餐費及雜費等。如果還要去大型遊樂園玩，就還要加上門票費用了。

有些地方不管任何時候去，價錢都不會改變。但是像飯店的住宿費用，價格會隨著「星期幾」及「時期」而有所不同。為什麼會有這樣的狀況？

在連假期間，旅行的人潮會比平常多很多，但是飯店的房間有限。尤其是受歡迎的觀光景點，很多人都想要在連假時前往，所以飯店很可能一下子就客滿了。這麼一來，飯店業者當然會認為「就算調高價格，還是會有很多人入住」。這就是為什麼在人潮大量聚集的連假期間，飯店的住宿費用會比較高。除此之外，週末的住宿價格，通常也會比一般的非假日要高一些。由此可知，商品的價格會隨著商品數量及購買人數的差異而產生明顯的變化。

客人想要買商品，稱為「需求」；商人想要賣商品，稱為「供給」。以飯店業來看，遊客想要住宿是需求，而飯店的房間是供給。當需求量與供給量一致時，當下的價格就叫做「均衡價格」。因此連假期間飯店的住宿價格特別高，也是買方（遊客）與賣方（飯店業者）的想法一致所造成的現象。

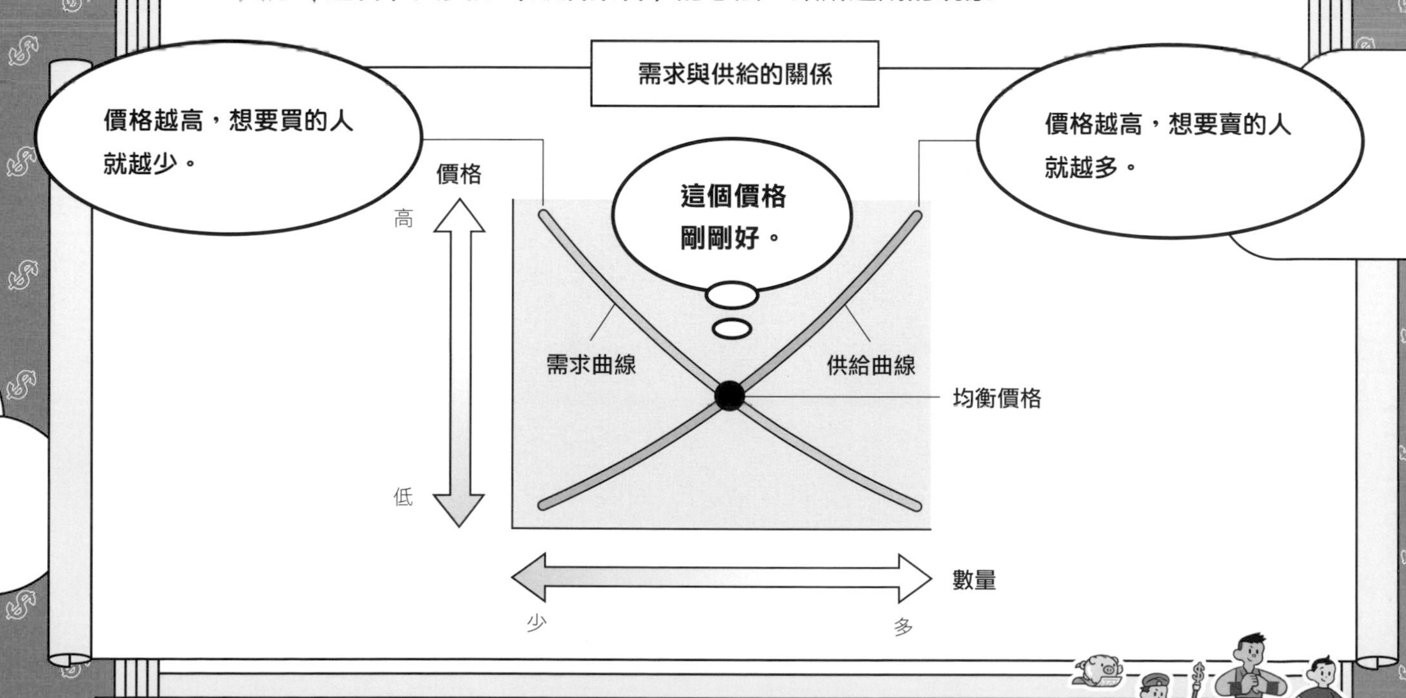

STAGE 12

購買備用物資時，該為自己還是其他人著想？

A 把所有的水都買下來

B 只買1箱

Q **本日難題** 氣象預報說，颱風將在數天後登陸。雖然家裡還有一些水，但你看了新聞後卻感到很不安。就在這時，你和家人在超市裡發現還可以買得到水。

▶ A ▶ B
從這 2 個選項中挑選。

既然有這個難得的機會，當然不能錯過。你和家人們買了一大堆水，要把整輛汽車塞滿。這樣就不用擔心會缺水了！

現在家裡的水，至少還夠喝好幾天。如果把超市裡的水全部買光的話，別人就沒有水可以買了。因此，你決定只買 1 箱的水就好。

A
的結果……
因為民眾搶購物資的關係，可能會發生供應不足的狀況。
請民眾千萬不要囤積過多的物資！
……
在發生災害的時候，飲用水、汽油、乾電池等往往會變得很難買到。如果又有人大量囤積，就會有更多人無法取得這些物資。因此在遇上這類緊急狀況的時候，千萬不能只顧慮到自己。
✕ 不要做出囤積物資的行為。
沒有提升任何數值

B
的結果……
受災地區獲得了大量的物資。
希望能夠早一天恢復平靜的生活！
沒錯！我也這麼希望！
水
當發生緊急狀況時，政府及製造廠商一定會盡全力維持物資的安定供給，但是一般民眾也要盡一己之力，例如不要大量搶購及囤積物資。這麼一來，真正有需要的人才能夠獲得物資。
◎ 必要的物資，只準備必要的分量。
♥「善良」增加4點！
「智慧」增加4點！

女神瑪妮娜的教誨

重要的是每個人都必須採取冷靜的行動

2019 年底新冠疫情開始蔓延時，各大賣場不僅買不到口罩，就連用水及衛生紙也處於缺貨的狀態。民眾搶購口罩的行為還可以理解，因為要預防感染，必須大量使用口罩。但是像飲用水、衛生紙這類民生物資，使用量沒有理由突然增加。為什麼會發生缺貨的狀況？來看看下方的表格就能理解了。

如果每個人購買的時機都跟以前一樣，那麼每個人應該都能買到足夠的物資（①）。另一種情況是如果只有自己急著購買，自己當然也能買到大量的物資（②）。反過來說，如果其他人都急著購買，只有自己並不焦急，那麼自己很有可能會購買不到物資（③）。而如果自己和其他人都急著購買，那麼物資就很有可能會陷入缺貨的狀態（④）。

①～④這四種狀態，當然只有①才是良性的狀態。但因為每個人都會擔心如果自己不趕快購買的話，就會買不到物資（③），因此造成每個人都匆匆忙忙跑到賣場大量採購物資，這麼一來當然會陷入缺貨的狀態（④）。換句話說，**每個人都會為了不讓自己陷入危機的狀態，而採取「對自己有利的行動」，然而這樣的行動卻會「對社會造成不良的結果」**。

在發生災害時，要讓社會維持①的狀態，必須所有人同時改變行動模式。一來每個人都應該要接收正確的資訊，做出冷靜的判斷；二來每個人都應該在平時就備妥各種必要物資，以因應不時之需。

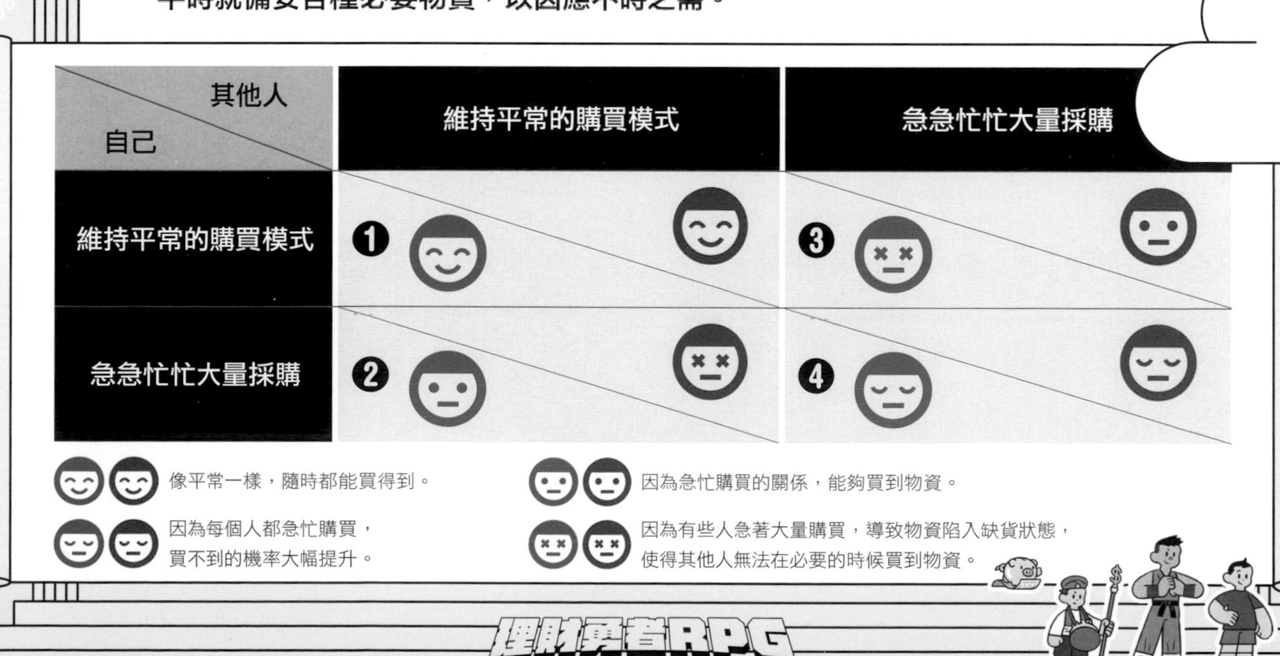

自己＼其他人	維持平常的購買模式	急急忙忙大量採購
維持平常的購買模式	❶	❸
急急忙忙大量採購	❷	❹

像平常一樣，隨時都能買得到。

因為急忙購買的關係，能夠買到物資。

因為每個人都急忙購買，買不到的機率大幅提升。

因為有些人急著大量購買，導致物資陷入缺貨狀態，使得其他人無法在必要的時候買到物資。

哇！錢不夠了！

我們是好朋友吧？
借我 50 元！

抱歉，我不想跟朋友
有金錢往來。
什麼?!
別氣、別氣~

看來你已經都學會了！
啊，女神大人！
還有其他人！

跟著大家一起修行之後，
我漸漸明白了正確的金錢
使用方式。
雖然還有點缺乏自信，
但我明白了一個道理……
只要正確使用金錢，
就能讓自己及其他人，
甚至是整個地球都獲得幸福。

真是太厲害了！
嗚
嗚
你已經能獨當一面了。
真開心能夠幫得上忙。
看來我們差不多
該告別了。

咦，告別？
閃光
金錢是生存所
不可或缺的道具。
就像劍與魔法一樣，
只要正確使用，
就能讓民眾、
社會及環境變得
更加豐饒富裕。
現在你已經明白
金錢的重要性。
……我也能做到嗎？
當你感到不安的時候，
你應該這麼告訴自己……
「自己」、
「其他人」及
「地球」！
只要好好重視這三者，
一定能夠找到最適合自己的
金錢使用方法。
我明白了！
我絕對不會忘記你們的，謝謝你們！
這段宛如角色扮演
遊戲般的日子，
讓我學會如何與金錢相處。
我會好好記住這一切……
長大了也不會
忘記。
~Fin.~
翻到下一頁，看看你與金錢的相處模式吧！

揭曉統計結果

你屬於什麼類型？

回答完 12 道關卡的問題後，請把所有的點數加起來。根據最後的數值，可以看出你在《理財勇者 RPG》的世界裡屬於什麼類型。「幸福」、「善良」、「智慧」這三個項目之中，我們只看數值最高及第二高的兩個項目。找出這兩個項目的組合，再對照右表，就能得知你屬於什麼樣的類型。快來確認看看吧！

最高的數值		第二高的數值		類型
★ 幸福	＋	智慧	＝	A
★ 幸福	＋	♥ 善良	＝	B
智慧	＋	♥ 善良	＝	C
智慧	＋	★ 幸福	＝	D
♥ 善良	＋	★ 幸福	＝	E
♥ 善良	＋	智慧	＝	F

以右邊的數值表為例，
「幸福」是最高的數值，
其次是「善良」，
所以就是 B 類型。

※ 如果數值相同，可以選擇自己喜歡的一方作為數值較高者。

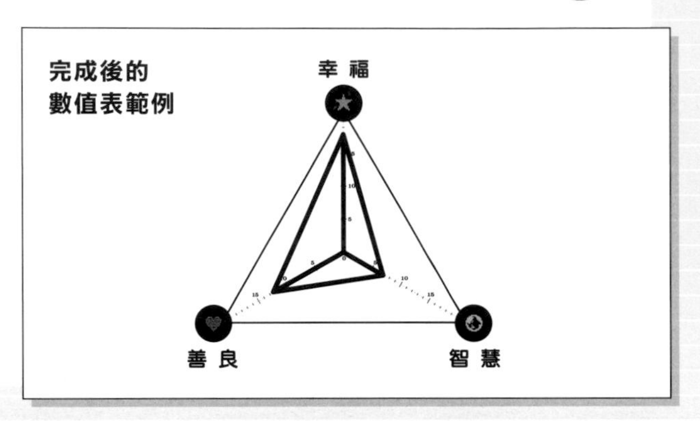

流浪商人

屬於「商人」類型的你，懂得珍惜自己及整個地球的幸福。你的金錢運用方式充滿了智慧，絕對不會亂花一毛錢。不過在愛惜自己的同時，也別忘了對他人懷有體貼及感恩之心喔！

理財勇者RPG

勇猛海賊

屬於「海賊」類型的你，最重視自己及同伴。在追求夢想的同時，你還有著一顆為同伴著想的心，因此相當受到朋友及同伴的信賴。不過要注意，可別為了請客而花掉太多的錢喔！

理財勇者RPG

稀世賢者

屬於「賢者」類型的你，永遠都能夠抱著冷靜的心情看待事物。比起自己的心願，你更關心的是地球的未來及周圍的環境。你擁有豐富的知識及高尚的品德，而且還懂得體恤他人。不過你也應該多加重視自己的心願。

理財勇者RPG

孤獨科學家

屬於「科學家」類型的你，一方面擁有充滿智慧的處世技巧，另一方面則非常重視自己內心深處想探尋的渴望。而且你是個相當務實的人，非常善於計算利益得失，總是能把金錢花在刀口上。如果你在採取行動的時候能夠多為他人著想，那就更加完美無缺了。

理財勇者RPG

保家衛國的戰士

屬於「戰士」類型的你，最重視的是家人與同伴。你擁有非常多的朋友，而且在朋友之間有著非常高的人望。當然有時候你會為了他人而使用金錢。如果你在行動的時候能夠顧慮到SDGs（聯合國永續發展目標），那簡直就是無敵的戰士了！

理財勇者RPG

無私的僧侶

你重視一切的生命，有著一顆慈悲之心，而且還懂得關心整個地球的環境。這樣的你，就像是一位道德崇高的「僧侶」。當然在慈善募捐上，你也是不落人後。不過偶爾你也該好好思考一下自己眞正想做的事情是什麼。

理財勇者RPG

理財勇者RPG

I

實體支付挑戰篇

12個生活中真實情境
KO實體貨幣的消費難題

監修

日本文部科學省消費者教育指導員

安算悦子 あんびるえつこ

1967年出生於日本神奈川縣橫須賀市。生活經濟類媒體工作者。「孩童金錢教育思考會」代表。曾任職於報社，負責生活經濟版面，期間取得日本金融理財協會所認證的金融理財規劃師資格。因生產而離職後，經常在報章雜誌上撰寫家庭經濟相關文章，多次在電視及電臺節目中登場，此外亦積極投入演講活動。曾開設各種體驗講座，與參與者一同思考如何幫助孩子建立起讓自己及世上一切生命都能永續發展的金錢觀。個人構思的「製作咖哩遊戲」，在日本全國各地的學校裡受到廣泛運用。

作者

學研 PLUS 学研プラス

為所有年齡層的讀者提供「知的喜悅」與「學的樂趣」。

少年知識家

理財勇者RPG

❶實體支付挑戰篇

監修｜安算悦子
作者｜學研 PLUS
譯者｜李彥樺
審定｜魏郁禎（國立臺北教育大學教育經營與管理學系教授）
責任編輯｜張玉蓉
美術設計｜蕭雅慧
行銷企劃｜溫詩潔、王予農

天下雜誌群創辦人｜殷允芃
董事長兼執行長｜何琦瑜
兒童產品事業群
副總經理｜林彥傑
總編輯｜林欣靜
版權主任｜何晨瑋、黃微真

出版者｜親子天下股份有限公司
地址｜台北市104建國北路一段96號4樓
電話｜（02）2509-2800　傳真｜（02）2509-2462
網址｜www.parenting.com.tw
讀者服務專線｜（02）2662-0332　週一～週五 09:00~17:30
讀者服務傳真｜（02）2662-6048
客服信箱｜parenting@cw.com.tw
法律顧問｜台英國際商務法律事務所．羅明通律師
製版印刷｜中原造像股份有限公司
總經銷｜大和圖書有限公司　電話：（02）8990-2588

出版日期｜2023年1月第一版第一次印行
定價｜480元
書號｜BKKKC228P
ISBN｜978-626-305-381-6（精裝）

訂購服務

親子天下Shopping｜shopping.parenting.com.tw
海外・大量訂購｜parenting@cw.com.tw
書香花園｜台北市建國北路二段6巷11號　電話｜（02）2506-1635
劃撥帳號｜50331356 親子天下股份有限公司

立即購買 >

國家圖書館出版品預行編目資料

理財勇者 RPG. 實體支付挑戰篇 / 學研 PLUS 著；李彥樺譯．-- 第一版．-- 臺北市：親子天下股份有限公司，2023.01
64 面；21×28 公分
ISBN 978-626-305-381-6（精裝）
1.CST: 理財　2.CST: 消費　3.CST: 通俗作品
563.5　　111019806

實體支付挑戰篇

內容主題

▶ 想要的東西與需要的東西／如何存錢
如何避免與朋友發生爭吵／聰明的購物方式 等

電子支付挑戰篇

內容主題

▶ 各種卡片／電信代收服務／遊戲儲值的注意事項
良心消費／ SDGs 與金錢 等